DINOSAURIOS
Y OTROS ANIMALES
PREHISTÓRICOS

EDITORIAL EVEREST, S. A.

MADRID • LEON • BARCELONA • SEVILLA • GRANADA • VALENCIA
ZARAGOZA • LAS PALMAS DE GRAN CANARIA • LA CORUÑA
PALMA DE MALLORCA • ALICANTE – MEXICO • BUENOS AIRES

Título original:
TELL ME ABOUT – Dinosaurs & Other Prehistoric Animals

Coordinador de la enciclopedia
Jackie Gaff

Traducción
Alejandro Fernández Susial

SEGUNDA EDICIÓN

© Grisewood & Dempsey Ltd. y
© EDITORIAL EVEREST, S. A.
Carretera León-La Coruña, km 5- LEÓN
ISBN: 84-241-2060-4 (Obra completa)
ISBN: 84-241-2049-3 (Tomo XII)
Depósito legal: LE. 1436-1998
Printed in Spain - Impreso en España

EDITORIAL EVERGRÁFICAS, S. L.
Carretera León-La Coruña, km 5
LEÓN (España)

Contenido

¿Cómo conocemos la vida del pasado?

Las pistas sobre la vida en la antigüedad se encuentran escondidas en la corteza terrestre. Muchas rocas están formadas por capas de barro y arena, como un sandwich gigante. Durante millones de años, estas capas se comprimen y pegan, y terminan por endurecerse. Los huesos y las conchas de los animales atrapados en las capas también se convierten en piedra, formando los fósiles. Los científicos investigan la vida en la antigüedad estudiando los fósiles y las rocas en las que se encuentran.

2 Se toma nota de la posición de cada hueso, para que más tarde los científicos puedan reconstruir las diferentes partes del animal.

1 Los huesos fosilizados de los animales prehistóricos se estropean con facilidad. Hay que tener mucho cuidado al desenterrarlos.

3 También se hacen fotografías, tanto de la postura en la que yace el esqueleto como de la roca y las capas de tierra.

HECHOS SOBRE LOS DECUBRIMIENTOS

• En 1810, la niña de 12 años Mary Anning y su hermano Joseph fueron las primeras personas en descubrir el esqueleto fosilizado de un reptil marino, más tarde conocido como ictiosaurio (ver página 31).

4 Se recubre cada hueso fosilizado con yeso, para protegerlo durante el transporte hasta el museo.

CÓMO SE FORMAN LOS FÓSILES

1 El cadáver del animal se hunde hasta el fondo de un lago, un río o del mar.

2 Su esqueleto queda enterrado entre capas de arena y barro. Pasan millones de años.

3 La arena y el barro se transforman en rocas. Los huesos se convierten en fósiles.

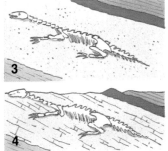

4 Con el tiempo, la roca se desgasta y el fósil sale a la superficie.

¿Cuándo comenzó la vida?

La Tierra es tan vieja que la mayor parte de su historia es aún un misterio. Sin embargo, los científicos creen que la Tierra se formó hace 4.600 millones de años, y que la vida apareció por primera vez unos 1.100 millones de años más tarde.

Los fósiles más antiguos encontrados tienen unos 600 millones de años de edad. Hasta que los animales no desarrollaron caparazones y huesos no se pudieron formar fósiles. Los cuerpos de los animales anteriores simplemente se pudrieron.

Con sus largos tallos los crinoides se parecían a las plantas. En realidad eran animales, parientes de la estrella de mar.

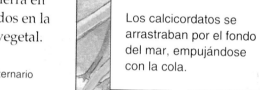

Los calcicordatos se arrastraban por el fondo del mar, empujándose con la cola.

Algunos de los fósiles más antiguos que se han encontrado son las conchas enroscadas de caracoles marinos.

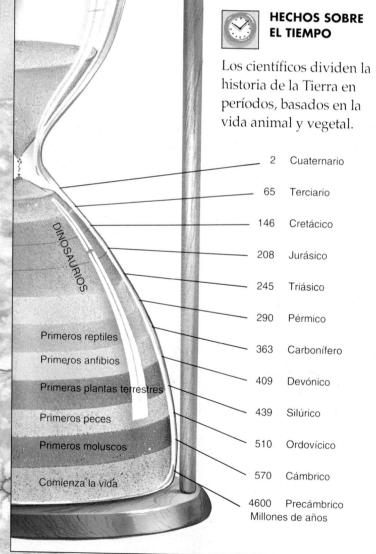

HECHOS SOBRE EL TIEMPO

Los científicos dividen la historia de la Tierra en períodos, basados en la vida animal y vegetal.

DINOSAURIOS

Primeros reptiles
Primeros anfibios
Primeras plantas terrestres
Primeros peces
Primeros moluscos
Comienza la vida

2	Cuaternario
65	Terciario
146	Cretácico
208	Jurásico
245	Triásico
290	Pérmico
363	Carbonífero
409	Devónico
439	Silúrico
510	Ordovícico
570	Cámbrico
4600	Precámbrico

Millones de años

Los mares en el Silúrico debían estar llenos de los animales que conocemos como graptolites. Sus fósiles son muy abundantes.

Todos los animales del Silúrico vivían en el mar. Los trilobites eran bastante parecidos a los cangrejos.

Los primeros corales parecían anmonas marinas dentro de conchas. Fueron los antepasados de los corales.

EVOLUCIÓN DE UN ANIMAL

Hoy en día son dos los grupos principales de animales: los que tienen espina dorsal y los que no. Los vertebrados no se desarrollaron hasta el Silúrico. Aquí tienes el modo de ver lo que sucedió.

1 Prepara con plastilina una criatura en forma de renacuajo.

2 Para ayudarle a nadar modela la cola en forma de aleta. Tu animal será todavía muy blando.

3 Para endurecerlo intro-duce en él una columna vertebral de lapicero.

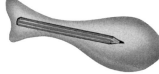

Los seres vivos se desarrollan y cambian muy, muy despacio, durante millones de años. Llamamos a este largo proceso "evolución".

¿Cómo eran los primeros peces?

Los primeros peces se parecían a los renacuajos. El *Arandaspis* (abajo) tenía cabeza, espina dorsal y cola, pero carecía de aletas. Los peces se desarrollaron en el período Ordovícico. Fueron los primeros animales en tener una verdadera espina dorsal.

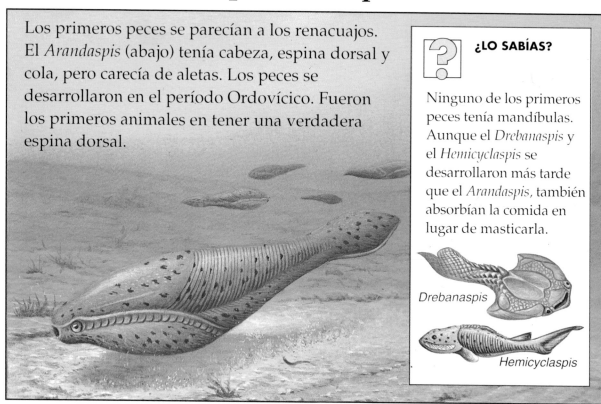

¿LO SABÍAS?

Ninguno de los primeros peces tenía mandíbulas. Aunque el *Drebanaspis* y el *Hemicyclaspis* se desarrollaron más tarde que el *Arandaspis*, también absorbían la comida en lugar de masticarla.

Drebanaspis

Hemicyclaspis

¿Qué pez era tan grande como una ballena?

El asombroso *Dunkleosteus* medía 10 metros de largo. Tenía la piel parecida a una armadura y sus grandes mandíbulas estaban llenas de afilados dientes. Probablemente fue el terror de los mares prehistóricos.

¿LO SABÍAS?

Los depredadores son animales que cazan y se alimentan de otros animales. Tienen la vista muy aguda y afilados dientes, como los tiburones y cocodrilos.

¿Qué edad tienen los tiburones?

Los tiburones son uno de los grupos de animales más antiguos que viven en la actualidad. Sus antepasados se desarrollaron hace 400 millones de años, en los mares del Devónico.

El *Stethacanthus* (abajo) era un tiburón de forma extraña que vivió hace unos 300 millones de años.

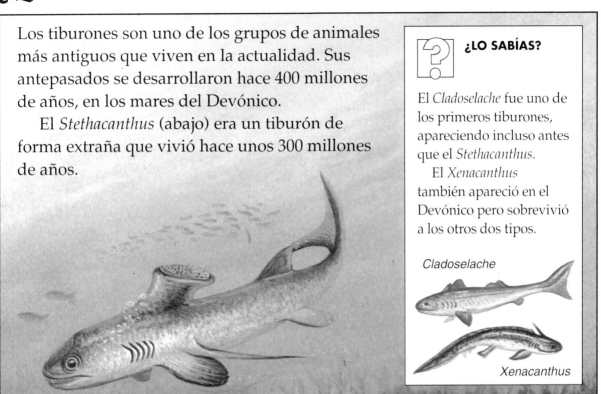

Cladoselache

Xenacanthus

¿Qué pez podía respirar fuera del agua?

Al mismo tiempo que evolucionaban los tiburones, otros peces, llamados peces pulmonares, desarrollaban una forma de respirar aire y de vivir en tierra. Probablemente les atraían los insectos que vivían en las costas.

El *Panderichthis* fue uno de los primeros peces anfibios. Para poder moverse en tierra desarrolló unas aletas fuertes y carnosas.

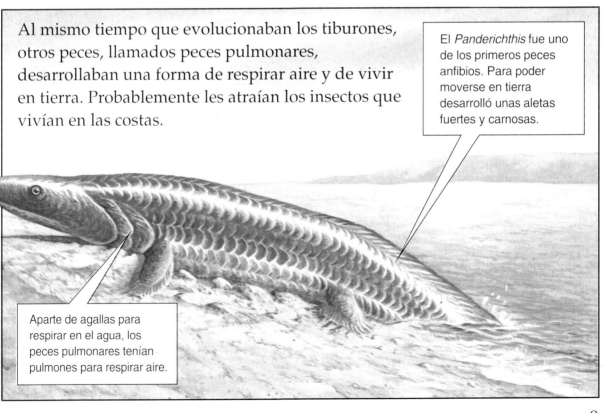

Aparte de agallas para respirar en el agua, los peces pulmonares tenían pulmones para respirar aire.

¿Cuándo aparecieron los primeros anfibios?

Los peces pulmonares sólo podían vivir en tierra firme durante cortos períodos de tiempo. Sin embargo, poco a poco se desarrollaron nuevos animales que podían pasar la mayor parte de su vida fuera del agua, los anfibios. Éstos podían respirar aire y a medida que pasaban más y más tiempo en tierra, sus aletas carnosas se convirtieron lentamente en fuertes patas. Aún así, no podían vivir muy alejados del agua, o sus delgadas pieles se secarían. Ponían también sus huevos en el agua.

¿LO SABÍAS?

El *Ichthyostega* fue uno de los primeros anfibios. Al igual que los peces, tenía cabeza de pez y cola en forma de aleta. Pero tenía patas en lugar de aletas carnosas y pies con dedos, lo que indica que normalmente vivía en tierra.

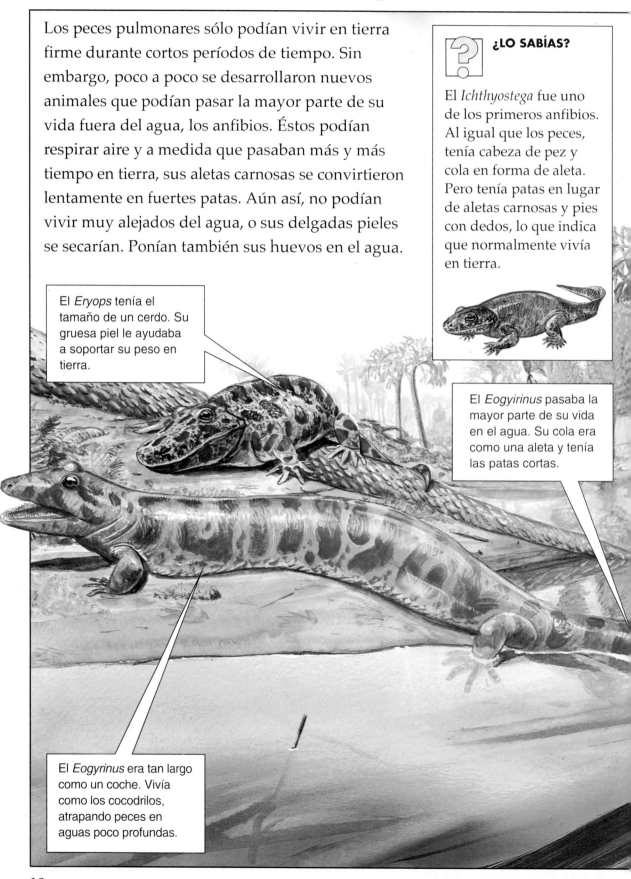

El *Eryops* tenía el tamaño de un cerdo. Su gruesa piel le ayudaba a soportar su peso en tierra.

El *Eogyirinus* pasaba la mayor parte de su vida en el agua. Su cola era como una aleta y tenía las patas cortas.

El *Eogyrinus* era tan largo como un coche. Vivía como los cocodrilos, atrapando peces en aguas poco profundas.

• La palabra anfibio significa "que lleva una doble vida".

• Los anfibios pasan sólo parte de su vida en tierra. Deben poner sus huevos en el agua, y en la primera parte de su vida, viven como animales nadadores.

• Los tritones y los sapos son dos anfibios de la actualidad.

Los diferentes tipos de anfibios evolucionaron durante el período Carbonífero. Por aquel entonces, la tierra estaba cubierta de bosques de helechos con forma de árbol.

El *Karaterpeton* era un pequeño anfibio parecido a una salamandra, con la cola muy larga.

La *Phlagetonia* no tenía patas. Se enterraba como un gusano entre la vegetación putrefacta del suelo del bosque.

11

¿Cuándo fueron enormes las libélulas?

En los frondosos bosques del Carbonífero, al mismo tiempo que los anfibios, vivían grandes insectos voladores. Libélulas del tamaño de pájaros volaban entre los pantanos de los bosques, y diferentes tipos de animales prosperaban entre la exhuberante vegetación. Los insectos fueron unos de los primeros animales que vivieron en tierra firme, atraídos por las nuevas plantas que crecían allí.

Los húmedos bosques del Carbonífero debían estar llenos del zumbido de los insectos. La exhuberante vida vegetal les proporcionaba suficiente alimento.

HECHOS SOBRE ORUGAS

• El *Brontoscorpio* (abajo) era tan grande como un gato. Como muchos de los primeros escorpiones podía vivir tanto en el agua como en tierra.

• El miriápodo gigante *Arthropleura* (arriba) medía casi 2 metros de largo. Se alimentaba de la vegetación putrefacta entre la maleza de helechos.

La *Meganeura* fue la libélula más grande que ha existido. Tenía una envergadura de alas de 70 cm, la misma que un loroí.

¿Cuándo aparecieron los primeros reptiles?

Los primeros reptiles comenzaron a evolucionar hace unos 350 millones de años. Eran diferentes a los anfibios en una característica muy importante. Aunque los anfibios están preparados para la vida en tierra firme, tienen que regresar al agua para poner sus huevos -que deben permanecer húmedos. Los reptiles pueden poner sus huevos en tierra firme ya que éstos están protegidos por un cascarón. Los reptiles fueron los primeros seres verdaderamente terrestres.

HECHOS SOBRE REPTILES

• El primer reptil fue la *Westlothiana*, un animal parecido a un lagarto, de unos 10 cm de longitud. Vivía entre los anfibios en los bosques del Carbonífero.

Westlothiana

El *Coelurosauravus* fue un reptil que podía planear.

El lento *Pareiasaurus* era tan grande como una vaca. Su gran boca era perfecta para masticar plantas duras.

¿De dónde vienen los mamíferos?

Los mamíferos evolucionaron a partir de un grupo de animales llamados reptiles-mamíferos. Estos reptiles tenían dientes de diferentes formas para matar y masticar. A lo largo de millones de años sus patas se hicieron más rectas, manteniendo al animal separado de la tierra. Al final del período Triásico se convirtieron en mamíferos.

El *Megazostrodon* fue uno de los primeros mamíferos. Como muchos mamíferos actuales tenía la piel cálida y bigotes para orientarse.

Los mamíferos no ponen huevos, sino que paren a sus crías, que se alimentan de la leche de la madre.

HECHOS SOBRE LA FAMILIA

Dimetrodon

• El *Lycaenops* era del tamaño de un perro pequeño. El *Massetognathus* fue uno de los últimos reptiles-mamíferos, y uno de los primeros en tener pelo en el cuerpo.

• El *Dimetrodon* fue uno de los primeros reptiles-mamíferos. La dura aleta en el lomo le ayudaba a eliminar el exceso de calor y mantenerse frío.

Lycaenops

Massetognathus

¿Cuáles eran los reptiles superiores?

El grupo de animales que conocemos como reptiles superiores vivió al mismo tiempo que los reptiles-mamíferos. Tenían fuertes patas traseras y largas colas, y se parecían bastante a los cocodrilos. Los animales que evolucionaron a partir de ellos pertenecían a tres grupos diferentes. Un grupo evolucionó en cocodrilos, otro en pterosaurios (ver página 28) y un tercero en dinosaurios.

(ver página 28)

¿LO SABÍAS?

Los cocodrilos actuales todavía tienen los afilados dientes, las largas colas y las fuertes patas de sus predecesores, como el *Chasmatosaurus*, uno de los primeros reptiles superiores.

Chasmatosaurus

Cocodrilo

El *Ornithosuchus* fue uno de los primeros reptiles superiores. Vivía en tierra firme, y podía caminar usando su larga cola para mantener el equilibrio.

El *Ornithosuchus* podía caminar a dos patas cuando corría, pasando el resto del tiempo a cuatro patas.

¿Cuándo aparecieron los dinosaurios?

Los primeros dinosaurios evolucionaron de los reptiles superiores hace algo más de 225 millones de años -a mediados del período Triásico. Los primeros dinosaurios eran pequeños y poco numerosos, pero con el tiempo se hicieron más grandes y abundantes. Los primeros dinosaurios eran carnívoros de dos patas, pero evolucionaron nuevas clases, algunas de las cuales eran herbívoras. Los cuerpos de los dinosaurios herbívoros se desarrollaron de forma diferente a la de los carnívoros.

Los insectos y los lagartos eran el alimento preferido del *Procompsognathus*, uno de los primeros dinosaurios.

El *Procompsognathus*, del tamaño de un buitre, perseguía a su presa ayudándose con sus largas patas traseras.

HECHOS SOBRE LA ALIMENTACIÓN

• Los primeros dinosaurios eran carnívoros bípedos como el *Procompsognathus*. Los herbívoros de cuatro patas como el *Plateosaurus* evolucionaron más tarde. Las plantas son más difíciles de digerir que la carne.

Las coníferas que comían algunos dinosaurios eran muy difíciles de digerir.

• En los animales la digestión tiene lugar en un largo tubo que sale del estómago, que se llama intestino. Los dinosaurios herbívoros desarrollaron intestinos más largos, y grandes cuerpos en los que meterlos. Su tamaño implicaba que caminasen a cuatro patas en vez de a dos.

El *Plateosaurus* fue uno de los primeros dinosaurios herbívoros. Su largo cuello le ayudaba a mordisquear las copas de los árboles.

El *Plateosaurus* caminaba a cuatro patas, pero podía mantenerse sobre sus dos patas traseras para alimentarse.

HECHOS SOBRE LA CADERA

- Los científicos dividen a los dinosaurios dependiendo de la forma del hueso de la cadera. Hay dos grupos principales: con cadera de lagarto o con cadera de pájaro. Todos los carnívoros y los herbívoros más grandes tenían cadera de lagarto.

Albertosaurus (carnívoro de cadera de lagarto)

Alamosaurus (herbívoro de cadera de lagarto)

- Los dinosaurios con cadera de pájaro evolucionaron más tarde. Todos eran herbívoros, tanto de dos como de cuatro patas.

Kritosaurus (cadera de pájaro)

¿Cuáles eran los dinosaurios gigantes?

Los herbívoros de cuello largo que evolucionaron del *Plateosaurus* fueron los animales terrestres más grandes que hayan existido jamás. Algunos eran diez veces más grandes que los elefantes. Llamados saurópodos, estos gigantes vivieron al final del período Jurásico, cuando la exhuberante vida vegetal proporcionaba suficiente comida.

Los saurópodos tenían el cuerpo grande, el cuello largo y la cabeza pequeña. Podían alcanzar las copas de los árboles para alimentarse con una dieta de hojas y brotes. Dado su tamaño, debían pasar la mayor parte del tiempo comiendo.

El *Brachiosaurus* era uno de los dinosaurios más grandes. Podía elevar la cabeza hasta 13 metros de altura, es decir, un edificio de cuatro plantas.

 HECHOS SOBRE EL TAMAÑO

• El *Mamenchisaurus* tenía el cuello más largo que ha existido jamás. Con 15 m era más largo que cuatro coches aparcados en fila.

• Los huesos de la cadera de los saurópodos eran enormes. Uno de ellos, que se encontró en Colorado, EE UU, en 1988, resultó ser más grande que un hombre.

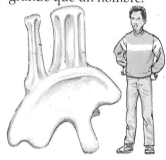

El *Apatosaurus* medía 21 m de largo. Su cola equivalía a casi la mitad de su longitud total, y puede que la agitase para asustar a sus enemigos.

IMPRIMIENDO DINOSAURIOS

Cómo hacer impresiones prehistóricas perfectas:

1 Corta una patata a la mitad y dibuja la silueta de un dinosaurio en cada cara.

2 Con mucho cuidado corta alrededor de la silueta, para que quede un poco en resalte.

3 Cubre tu dinosaurio de pintura, y ¡a imprimir!

Sus largos cuello y cola hacían del *Diplodocus* uno de los dinosaurios más grandes. Con 27 m, equivalía a 7 coches aparcados en fila.

¿Eran todos los dinosaurios enormes?

Normalmente pensamos que los dinosaurios son monstruos enormes, del tamaño de una casa. En realidad, muchos de ellos eran bastante pequeños. Algunos no eran más grandes que los actuales lagartos o pájaros.

Estos dinosaurios incluían herbívoros y carnívoros que comían insectos o animales más pequeños que ellos mismos.

? ¿LO SABÍAS?

Los nombres de los dinosaurios están en latín. Muchos simplemente describen la apariencia del dinosaurio. Por ejemplo *Styracosaurus* significa "reptil recubierto de púas".

El *Compsognathus* tenía la cola delgada y dos veces más larga que su cuerpo.

El *Compsognathus* tenía el tamaño de un pollo, y era muy rápido. Era carnívoro y se alimentaba de pequeños lagartos.

? ¿LO SABÍAS?

El *Scutellosaurus* era un pequeño dinosaurio. Si viviese hoy en día sería del tamaño de un gato. Una fila de púas a lo largo del lomo y la cola protegían a este herbívoro.

¿Dónde apareció el esqueleto más pequeño?

En 1979 en Argentina, Sudamérica, se encontró un esqueleto tan pequeño que cabría en tu mano. Los científicos creyeron que habían encontrado el dinosaurio más pequeño, pero resultó ser el esqueleto de una cría de dinosaurio.

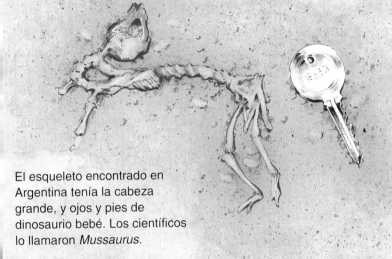

El esqueleto encontrado en Argentina tenía la cabeza grande, y ojos y pies de dinosaurio bebé. Los científicos lo llamaron *Mussaurus*.

HECHOS SOBRE EL MUSSAURUS

• Los científicos saben cómo crece y cambia un cuerpo durante su vida. Esto les ayudó a determinar que la cría de *Mussaurus* hubiese crecido hasta medir 3 m de largo.

Mussaurus adulto

¿Dónde se encontró la huella más pequeña?

En la década de los 80, entre las rocas de Nueva Escocia, Canadá, se encontró una huella de dinosaurio no más grande que la de un gorrión actual. Ahora allí no hay reptiles, pues hace demasiado frío. El clima debía de ser mucho más cálido hace 150 millones de años.

Una pisada fosilizada puede ser todo lo que los científicos saben sobre un animal. Este tipo de dato se llama huella fósil.

HECHOS SOBRE HUELLAS

• Una huella de pisada nos muestra el tamaño del animal, su peso y su velocidad.

• Algunas huellas fosilizadas de saurópodo son tan grandes que podrías sentarte en ellas.

¿Cuáles eran los dinosaurios más rápidos?

Los carnívoros eran los más rápidos de todos los dinosaurios debido a la forma de sus cuerpos. Se movían sobre unas fuertes patas traseras, manteniendo el equilibrio con una pesada cola. Esto les permitía correr muy deprisa, y así atrapar su comida. Los cazadores siempre tienen que correr más rápido que su presa, o de lo contrario no podrían comer lo suficiente para sobrevivir.

El *Troodon* mantenía la cola tiesa mientras corría, haciendo de contrapeso perfecto para su largo cuello.

Del tamaño de un emú, el *Troodon* era un fiero carnívoro. Podía correr a gran velocidad con sus patas traseras.

HECHOS SOBRE VELOCIDAD

• El *Struthiomimus* era uno de los dinosaurios más rápidos. Tenía el tamaño y la forma de una avestruz, y con sus largas zancadas, podía correr a una velocidad de 50 km por hora.

Avestruz

Struthio-mimus

El *Troodon* fue un cazador mortífero. Usaba la gran garra curva de sus patas traseras para desgarrar a su presa hasta matarla.

¿Cuáles fueron los dinosaurios más feroces?

Los dinosaurios carnívoros no sólo eran rápidos. Eran los animales más feroces que han existido nunca. Con el paso del tiempo, se desarrollaron clases más grandes y rápidas. El *Tyrannosaurus* era el más grande de todos. Medía más de 12 metros, algo así como tres coches. Con sus poderosas patas y sus mandíbulas afiladas debía de ser un asesino terrorífico y muy eficiente.

La cabeza del *Tyrannosaurus* medía más de 1 m de largo. Sus mortíferos dientes eran tan grandes y afilados como cuchillos.

Sus brazos eran muy pequeños. Cada mano tenía sólo dos dedos curvados, quizá los usara para limpiarse los dientes.

El *Tyrannosaurus* tenía los pies muy grandes, probablemente para mantener su enorme volumen mientras atacaba a sus presas.

HECHOS SOBRE LOS CARNÍVOROS

• El *Spinosaurus* vivió en África. Era tan grande como el *Tyrannosaurus*, pero más ligero.

¿Qué dinosaurios tenían cuernos?

Los dinosaurios herbívoros necesitaban protegerse de los fieros carnívoros como el *Tyrannosaurus*. Algunas especies desarrollaron cuernos para intimidar a sus atacantes. El *Triceratops* (abajo) tenía tres cuernos impresionantes.

HECHOS SOBRE LOS CUERNOS

• Los dinosaurios con cuernos se llaman queraptosianos. El *Styracosaurus* tenía un punzante collar; el *Pachyrhinosaurus*, una protuberancia de hueso en el hocico.

Styracosaurus

Pachyrhinosaurus

¿Qué dinosaurio tenía armadura?

En lugar de cuernos, algunos herbívoros tenían la piel gruesa, que les protegía como una armadura. Estos dinosaurios se llaman anquilosaurios. También les crecían púas de hueso en la piel. Algunos incluso tenían una maza de hueso al final de la cola.

Atacando con las púas de sus hombros, el *Panoplosaurus* podía herir gravemente al hambriento carnívoro.

¿Qué era un "bonehead"?

Los "bonehead" eran un grupo de dinosaurios con cráneos muy duros. Solían golpearse con la cabeza los unos a los otros para decidir quién dirigía la manada, como hoy en día hacen las cabras montesas. El fuerte cráneo protegía el delicado cerebro del interior.

Con su fuerte cráneo y rígida espina dorsal, un "bonehead" parecía un ariete viviente.

¿Qué dinosaurios tenían placas óseas?

El *Stegosaurus* (abajo) era el más grande de los estegosaurios, un grupo de dinosaurios herbívoros, con placas óseas y púas en el lomo.

HECHOS SOBRE STEGOSAURUS

• Puede que los estegosaurios usasen sus placas y púas como armadura, o para eliminar el exceso de calor de su cuerpo.

Wuerhosaurus

Kentrosaurus

¿Ponían huevos los dinosaurios?

Como la mayoría de los reptiles en la actualidad, las crías de dinosaurio nacían de huevos. Los científicos han descubierto grupos de nidos fosilizados, algunos de los cuales contenían 10 huevos o más. Estos huevos son pequeños para unos animales tan grandes. Los huevos pequeños tienen la cáscara más fina y es más fácil que el animal la rompa.

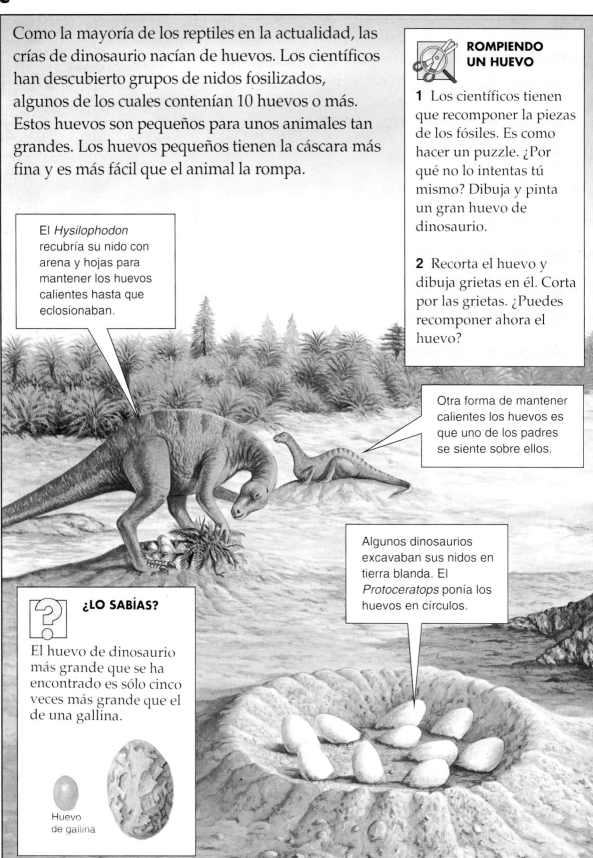

ROMPIENDO UN HUEVO

1 Los científicos tienen que recomponer la piezas de los fósiles. Es como hacer un puzzle. ¿Por qué no lo intentas tú mismo? Dibuja y pinta un gran huevo de dinosaurio.

2 Recorta el huevo y dibuja grietas en él. Corta por las grietas. ¿Puedes recomponer ahora el huevo?

El *Hysilophodon* recubría su nido con arena y hojas para mantener los huevos calientes hasta que eclosionaban.

Otra forma de mantener calientes los huevos es que uno de los padres se siente sobre ellos.

Algunos dinosaurios excavaban sus nidos en tierra blanda. El *Protoceratops* ponía los huevos en círculos.

¿LO SABÍAS?

El huevo de dinosaurio más grande que se ha encontrado es sólo cinco veces más grande que el de una gallina.

Huevo de gallina

¿Cómo eran las crías de dinosaurio?

Los dinosaurios recién nacidos estaban tan indefensos como las crías de los pájaros. Sus padres los alimentaban hasta que eran lo bastante grandes como para abandonar el nido.

En EE UU se encontraron, en 1978, nidos fosilizados que contenían crías de dinosaurio. Estudiándolos, los científicos descubrieron mucho acerca de las crías de *Maiasaura*.

HECHOS SOBRE MAIASAURA

• *Maiasaura* significa "la buena madre lagarto".

• Vivían en manadas, cuidando de sus pequeños, y hacían sus nidos en el mismo sitio cada año.

Los padres alimentaban a las crías hasta que éstas podían cuidar de sí mismas.

Puede que las crías de dinosaurio tuviesen un pequeño cuerno en el hocico para ayudarse a salir del cascarón.

¿Podían volar los dinosaurios?

Los dinosaurios eran animales terrestres, no podían volar. Otro grupo de animales dominaba los cielos en tiempos de los dinosaurios. Llamados pterosaurios, tenían la cabeza grande, el cuerpo pequeño y peludo y alas de piel. No tenían plumas. Había muchas clases de pterosaurios. Los que mostramos aquí vivieron en Europa hace unos 150 millones de años.

HECHOS SOBRE PTEROSAURIOS

● El *Quetzalcoatlus* (1) era el pterosaurio más grande. Tenía una envergadura de alas de 12 metros.

● El más pequeño era el *Batrachognathus* (2).

1

2

El *Rhamphorhynchus* tenía la cola como un timón que le ayudaba a maniobrar.

HAZ VOLAR UN PTEROSAURIO

Dibuja la silueta de un pterosaurio en una cartulina. Recórtala con cuidado, dóblala por la mitad, y píntala de colores. Hazle un contrapeso en el pico con un clip y observa cómo vuela.

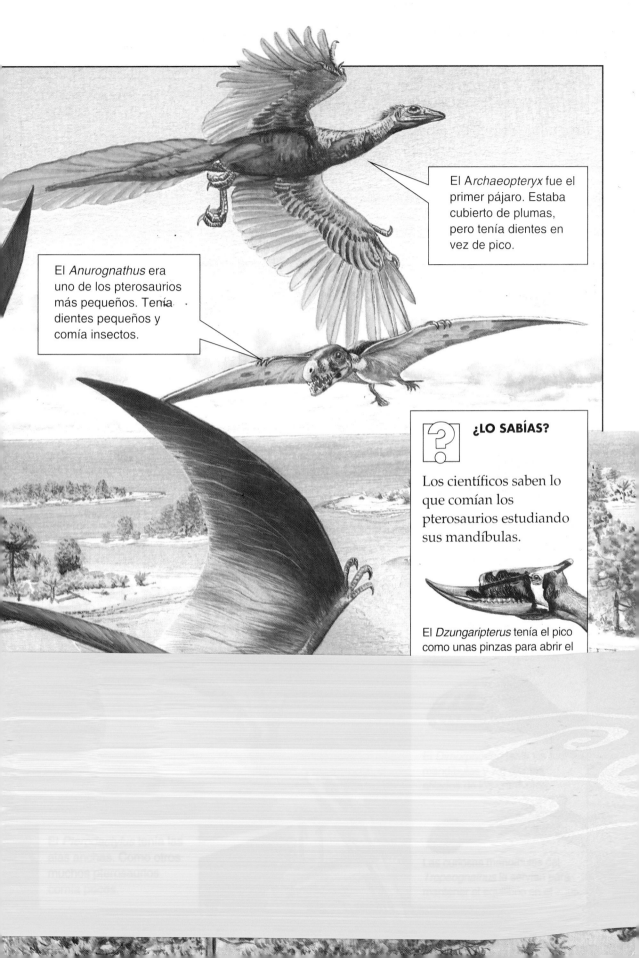

El A*rchaeopteryx* fue el primer pájaro. Estaba cubierto de plumas, pero tenía dientes en vez de pico.

El *Anurognathus* era uno de los pterosaurios más pequeños. Tenía dientes pequeños y comía insectos.

¿LO SABÍAS?

Los científicos saben lo que comían los pterosaurios estudiando sus mandíbulas.

El *Dzungaripterus* tenía el pico como unas pinzas para abrir el

¿Podían nadar los dinosaurios?

Los dinosaurios no sabían nadar, pero había muchos reptiles marinos en la época de los dinosaurios. Los más grandes pertenecían al grupo de los plesiosaurios, tenían el cuello largo o corto y cuatro aletas.

Los fósiles de criaturas marinas son muy abundantes porque sus cuerpos se hundían hasta el fondo del mar y quedaban enterrados en el barro, que más tarde se transformaba en piedra. El cuerpo de un animal terrestre primero tenía que caer en un lago o río (ver página 5).

Los plesiosaurios eran buenos nadadores. Tenían cuatro aletas en forma de remos, con las que aleteaban en el agua como hacen hoy los pingüinos.

El *Cryptoclidus* comía peces. Tenía en sus mandíbulas una fila de afilados dientes, perfectos para atrapar un alimento tan escurridizo.

El *Cryptoclidus*, con sus 3 m de largo, era tan grande como un bote de remos. Cuando cazaba atacaba los bancos de peces con su largo cuello.

Algunas veces los plesiosaurios se atacaban entre ellos. Se han encontrado huellas de sus mordiscos en huesos fosilizados.

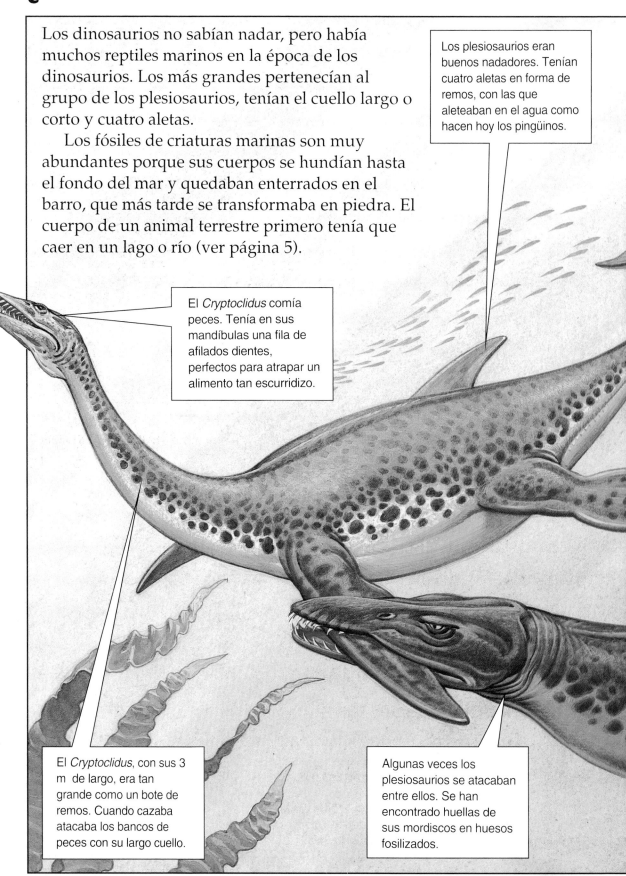

COMPROBANDO LA FORMA DEL CUERPO

Los cuerpos redondeados de los animales marinos se mueven con facilidad en el agua.

1 Recoge objetos de diferentes formas.

2 Ata una cuerda a cada uno y arrástralo por el agua. ¿Cuál es más fácil de mover?

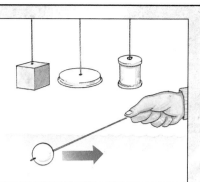

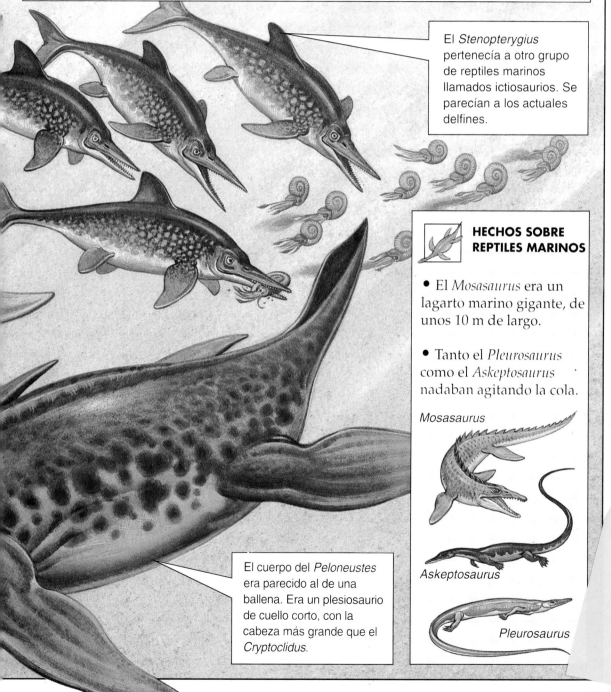

El *Stenopterygius* pertenecía a otro grupo de reptiles marinos llamados ictiosaurios. Se parecían a los actuales delfines.

HECHOS SOBRE REPTILES MARINOS

• El *Mosasaurus* era un lagarto marino gigante, de unos 10 m de largo.

• Tanto el *Pleurosaurus* como el *Askeptosaurus* nadaban agitando la cola.

Mosasaurus

Askeptosaurus

Pleurosaurus

El cuerpo del *Peloneustes* era parecido al de una ballena. Era un plesiosaurio de cuello corto, con la cabeza más grande que el *Cryptoclidus*.

¿Qué les sucedió a los dinosaurios?

De repente los dinosaurios se extinguieron. Parece que desaparecieron tras el período Cretácico, junto con los pterosaurios, los reptiles marinos y otros animales. No se han encontrado restos de ellos en ninguna roca de menos de 65 millones de años de edad.

Los científicos no saben con seguridad qué sucedió. Algunos creen que unas gigantescas rocas del espacio exterior chocaron con la tierra, levantando enormes nubes de polvo. Otros proponen diferentes teorías.

Las enormes nubes de polvo creadas por las rocas al colisionar, taparon el Sol, arrojando sobre la Tierra una oscuridad helada por lo que murieron rápidamente muchos animales.

Los pájaros lograron sobrevivir al desastre. Quizás pudieron esconderse del polvo sofocante, hasta que éste desapareció.

HECHOS SOBRE LA EXTINCION

- Quizás algún cambio en los rayos solares debilitó la cáscara de los huevos de los dinosaurios, matando a las crías.

- Los dinosaurios se trasladaban de un continente a otro y puede que extendiesen alguna enfermedad.

- Puede que los dinosaurios se envenenasen con nuevos tipos de plantas y árboles.

Los mamíferos también sobrevivieron. Aterrorizados, quizás se encerraron en madrigueras bajo tierra, hibernando hasta que la vida volvió a la normalidad.

El sofocante polvo pudo ser transportado por el viento durante meses, bloqueando la luz solar y el calor del Sol.

Los dinosaurios eran demasiado grandes para esconderse. Quizás se congelaron de frío o murieron de inanición por la falta de plantas.

33

¿Qué vino detrás de los dinosaurios?

Los dinosaurios habían sido los animales superiores en la Tierra durante 160 millones de años. Cuando se extinguieron, los mamíferos les sucedieron. Los mamíferos eran pequeños pero evolucionaron rápidamente. El *hyaenodon* (abajo) era un fiero carnívoro.

¿Cuáles eran los mamíferos más grandes?

Un grupo de mamíferos herbívoros llamados uintatheres eran los gigantes del momento. El *uintatherium* (abajo) medía 4 metros. Evolucionaron 10 millones de años después de los dinosaurios, pero también se extinguieron.

¿Cómo eran las primeras ballenas?

Con la cabeza pequeña y forma de serpiente, el *Basilosaurus* (abajo) era muy diferente a las ballenas actuales. Este gigantesco mamífero marino tenía unos dientes de aspecto amenazador y cazaba peces y calamares.

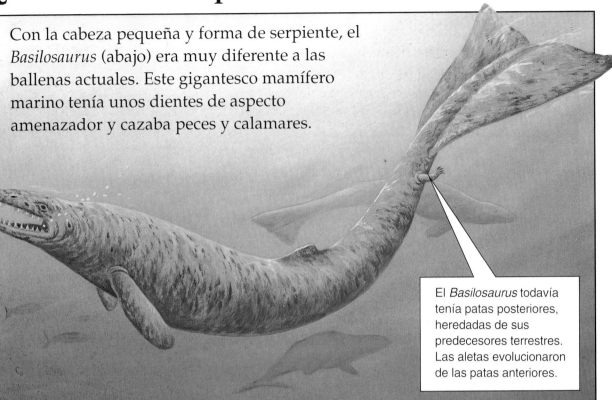

El *Basilosaurus* todavía tenía patas posteriores, heredadas de sus predecesores terrestres. Las aletas evolucionaron de las patas anteriores.

¿Cómo eran los primeros murciélagos?

El *Icaronycteris* (abajo), era en muchos aspectos parecido a los murciélagos. Tenía las alas de piel y con sus afilados dientes atrapaba insectos en pleno vuelo. Tenía una larga cola, algo de lo que carecen los actuales murciélagos.

A diferencia de los murciélagos, el *Icaronycteris* tenía una garra en el primer dedo. Se colgaba de ellas para dormir.

¿Cómo surgieron los mamíferos de las prader

Hace unos 25 millones de años, el clima de la Tierra se hizo más fresco y seco, transformando los paisajes de bosques en praderas abiertas.

Los caballos, por ejemplo, habían sido animales del bosque, alimentándose de hojas blandas y escondiéndose de los carnívoros. En ese momento, evolucionaron hasta tener el tamaño de una oveja, con las patas más largas para escapar de sus enemigos en las llanuras.

Las praderas de hierba crecen en climas secos. Sus sistemas radicales y tallos sobreviven al fuego y la sequía, creando nueva vida cuando ha pasado el daño.

El *Daenodon* era un pariente lejano del cerdo. Este animal gigante dejó el bosque para vivir en las praderas.

 ¿LO SABÍAS?

Los cuerpos de los herbívoros son muy parecidos. Todos necesitan ciertas características para sobrevivir.

Muchos herbívoros tienen largos cuellos, que les permiten ver los peligros que les acechan.

Las mandíbulas fuertes sirven para masticar la dura hierba. Una cabeza alargada hace que los ojos del animal queden por encima de la hierba al comer. Sus largas patas les permiten escapar con rapidez ante un peligro.

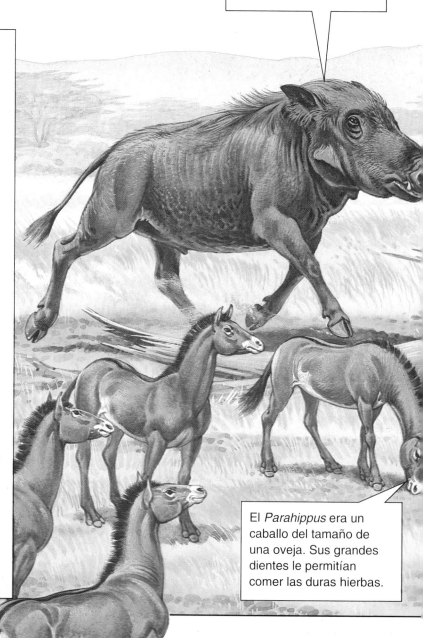

El *Parahippus* era un caballo del tamaño de una oveja. Sus grandes dientes le permitían comer las duras hierbas.

El *Moropus* se alimentaba de hojas. Para nosotros tendría un aspecto muy extraño, una mezcla de caballo, camello y oso.

Los árboles crecían aisladamente en las praderas. Aparecieron animales más altos para alimentarse de sus hojas.

El *Syndyoceras* tenía las patas largas y las pezuñas ligeras. Su velocidad y sus grandes cuernos le ayudaban a sobrevivir .

El rápido *Stenomylus* fue un antepasado del camello. Vivía en manadas.

¿Qué fue el período glacial?

Hace unos dos millones de años, el clima de la Tierra se volvió muy frío. La nieve y el hielo se extendieron desde el Polo Norte hasta Europa y Norteamérica. Fue el período glacial. Muchos animales murieron en esta gran helada, pero otros consiguieron sobrevivir. Estos animales eran grandes, con pieles lanosas y una gran capa de grasa en el cuerpo para evitar el frío.

Los mamuts eran parientes cercanos de los elefantes. Tenían la piel peluda y largos colmillos curvos.

El *Coelodonta* fue un gran rinoceronte peludo. Su velluda piel le ayudó a sobrevivir en el frío hielo.

El gran reno irlandés, el *Megaloceros*, tenía una cornamenta de casi 4 metros. Se alimentaba de hierba y plantas.

HECHOS SOBRE EL PERÍODO GLACIAL

• Gran parte del mar se congeló y el hielo flotaba en la superficie, haciendo que el nivel del mar fuese 90 m más bajo que en la actualidad, una diferencia del tamaño de una casa de 10 pisos.

• Ha habido varios períodos glaciales en los últimos 2 millones de años. A cada uno le ha sucedido una era más cálida.

En el período glacial apareció un nuevo animal. Podía crear herramientas y cazar. Era nuestro antepasado.

Palabras útiles

Anfibio Uno de los grupos de animales con espina dorsal. Los anfibios viven en el agua y en tierra. Se incluyen en este grupo las ranas, sapos y tritones.

Anquilosauros Grupo de dinosaurios con una armadura corporal de espinas de hueso y cuernos en la piel. El *Panoplosaurus* era un anquilosaurio.

Estegosaurios Grupo de dinosaurios que tenían una armadura corporal de placas óseas en el lomo. El *Stegosaurus*, pertenecía a este grupo.

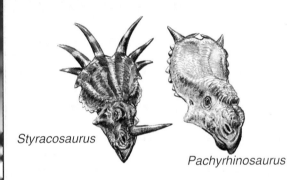

Styracosaurus

Pachyrhinosaurus

Evolución Proceso por el que las plantas y los animales cambian y se desarrollan lentamente durante millones de años.

Extinción Cuando un tipo de planta o animal muere y desaparece de la Tierra para siempre, como sucedió con los dinosaurios hace 65 millones de años.

Fósil Restos de una planta o animal con millones de años de antigüedad, que se han transformado en piedra. Los científicos conocen la vida en el pasado estudiando los fósiles.

Ictiosaurios Grupo de reptiles parecidos a los delfines que vivieron en los mares en la época de los dinosaurios.

Invertebrados Animales que no tienen espina dorsal. La medusas, gusanos e insectos son invertebrados.

Mamíferos Grupo de animales que paren a sus crías, y las alimentan con leche materna. Los seres humanos son mamíferos, como los gatos, conejos, caballos y ballenas.

Parahippus

Prehistórico Perteneciente a la antigüedad, miles o millones de años antes de la historia de la humanidad.

Pterosaurios Grupo de reptiles voladores que vivieron en la época de los dinosaurios. No eran pájaros, y sus alas estaban cubiertas de piel y no de plumas.

Queraptosianos Grupo de dinosaurios con armadura y cuernos en la cabeza. El *Triceratops* pertenecía a este grupo.

Reptiles Uno de los principales grupos de animales con espina dorsal. Los reptiles tienen la piel seca y con escamas, y a diferencia de los anfibios ponen los huevos en tierra firme. Los cocodrilos, las tortugas y las serpientes son reptiles.

Stegosaurus

Índice